與眾不同 鏡子星

9

數感小學
冒險系列

目 錄

這本故事是在說……

叮叮拍照總愛站右邊，因為她覺得右臉比較好看。小哲不信這一套，他覺得左半臉跟右半臉明明就一模一樣，最多、最多只差一顆痣！

他們正在跟剛完成的撲克牌高塔合照，結果老師衝進來，哇！塔都倒了。撿起幾張撲克牌，你好奇，為什麼撲克牌都不會「顛倒」呢？

很簡單！因為撲克牌的上半部跟下半部一樣，所以旋轉 180 度，看到的牌依然不變。等等，上半部跟下半部真的一樣嗎？光是阿拉伯數字的位置，一個左、一個右，就不太一樣。到底我們怎麼用數學來形容「一樣」，撲克牌的上半部跟下半部又是怎樣的關係，趕快翻開來，看看找找答案吧。

人物介紹

叮叮

丁小美的綽號，就讀春日
小學三年級，常在媽媽開
的「慢慢等」早餐店幫忙，
算術好，行動力強。

鳳凰露露

春日小學新來的宇宙數學
社指導老師，她有個特別
神祕的大包包，裡頭應有
盡有，簡直就像個宇宙黑
洞，這是怎麼回事呢？

故事提要

超級吵的新世紀小學隊淘汰了，超級酷不起來的李子傲也淘汰，對手只剩下永遠都在辯的曹前、曹後，春日小學三人組到底要怎麼接招呢？沒想到鳳凰露露老師一下子就來個與眾不同的比賽，到底結果是不是真的讓人覺得與眾不同呢？

小哲

蔡維哲的外號，從小跟著爸爸做訂製款的高級自行車，喜歡研究機械構造、組裝模型，更愛動手做。

白熊

熊大為的身材像大熊，是溫暖的男孩，他蒐集了各式各樣的百科全書，立志將來也要寫一套自己的百科全書。

第一章

十層撲克牌塔

宇宙數學社集訓室裡……

窗戶全部密閉，電扇不再搖頭，三個孩子戴著口罩，全神貫注。雖然外頭是春天，溫度很涼爽，但是，叮叮仍然熱出一身汗。

「叮叮，最後一層了，別急。」小哲小聲提醒。

「我知道，第十層了、第十層了。」叮叮要把最後一張撲克牌放上去。十層撲克牌塔，小哲激動的想跳起來。

但是……

白熊用眼神制止他。

「我知道，我知道。」小哲用眼神向大家示意。

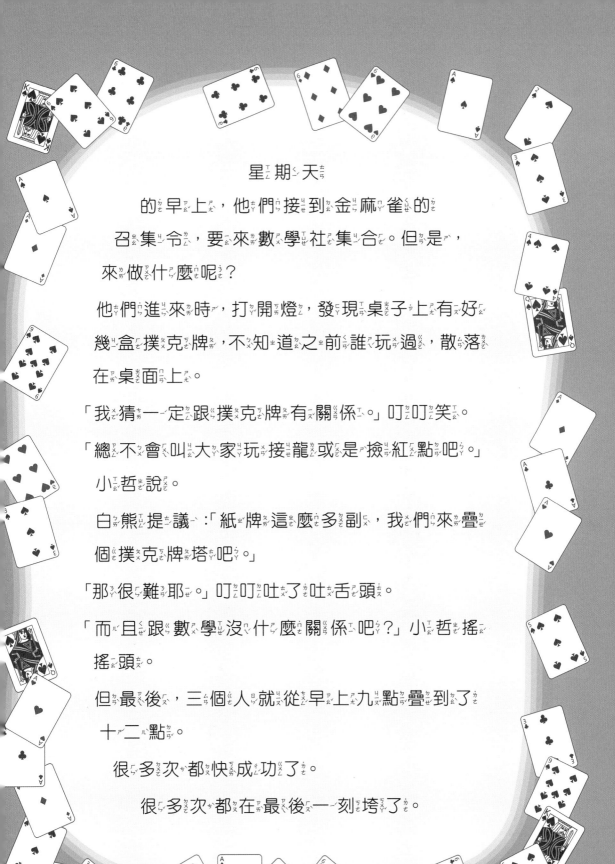

星期天

的早上，他們接到金麻雀的

召集令，要來數學社集合。但是，

來做什麼呢？

他們進來時，打開燈，發現桌子上有好

幾盒撲克牌，不知道之前誰玩過，散落

在桌面上。

「我猜一定跟撲克牌有關係。」叮叮笑了。

「總不會叫大家玩接龍或是撿紅點吧。」

小哲說。

白熊提議：「紙牌這麼多副，我們來疊

個撲克牌塔吧。」

「那很難耶。」叮叮吐了吐舌頭。

「而且跟數學沒什麼關係吧？」小哲搖

搖頭。

但最後，三個人就從早上九點疊到了

十二點。

很多次都快成功了。

很多次都在最後一刻垮了。

而ㄦˊ現ㄒㄧㄢˋ在ㄗㄞˋ⋯⋯

叮ㄉㄧㄥ叮ㄉㄧㄥ小ㄒㄧㄠˇ心ㄒㄧㄣ翼ㄧˋ翼ㄧˋ擺ㄅㄞˇ上ㄕㄤˋ最ㄗㄨㄟˋ後ㄏㄡˋ一ㄧ張ㄓㄤ，終ㄓㄨㄥ於ㄩˊ⋯⋯

疊ㄉㄧㄝˊ・好ㄏㄠˇ・了ㄌㄜ。

「手ㄕㄡˇ機ㄐㄧ～」叮ㄉㄧㄥ叮ㄉㄧㄥ用ㄩㄥˋ眼ㄧㄢˇ神ㄕㄣˊ這ㄓㄜˋ麼ㄇㄜ說ㄕㄨㄛ。

「在ㄗㄞˋ我ㄨㄛˇ背ㄅㄟ包ㄅㄠ裡ㄌㄧˇ。」白ㄅㄞˊ熊ㄒㄩㄥˊ和ㄏㄜˊ她ㄊㄚ的ㄉㄜ默ㄇㄛˋ契ㄑㄧˋ好ㄏㄠˇ，叮ㄉㄧㄥ叮ㄉㄧㄥ食ㄕˊ指ㄓˇ一ㄧ比ㄅㄧˇ，白ㄅㄞˊ熊ㄒㄩㄥˊ馬ㄇㄚˇ上ㄕㄤˋ知ㄓ道ㄉㄠˋ意ㄧˋ思ㄙ。

白ㄅㄞˊ熊ㄒㄩㄥˊ輕ㄑㄧㄥ手ㄕㄡˇ輕ㄑㄧㄥ腳ㄐㄧㄠˇ拿ㄋㄚˊ出ㄔㄨ手ㄕㄡˇ機ㄐㄧ，三ㄙㄢ個ㄍㄜˋ人ㄖㄣˊ慢ㄇㄢˋ慢ㄇㄢˋ拿ㄋㄚˊ下ㄒㄧㄚˋ口ㄎㄡˇ罩ㄓㄠˋ，互ㄏㄨˋ相ㄒㄧㄤ看ㄎㄢˋ了ㄌㄜ看ㄎㄢˋ，彼ㄅㄧˇ此ㄘˇ點ㄉㄧㄢˇ了ㄌㄜ點ㄉㄧㄢˇ頭ㄊㄡˊ，只ㄓˇ要ㄧㄠˋ照ㄓㄠˋ完ㄨㄢˊ相ㄒㄧㄤˋ⋯⋯

「停ㄊㄧㄥˊ，等ㄉㄥˇ一ㄧˋ下ㄒㄧㄚˋ。」叮ㄉㄧㄥ叮ㄉㄧㄥ突ㄊㄨˊ然ㄖㄢˊ悄ㄑㄧㄠˇ悄ㄑㄧㄠˇ聲ㄕㄥ的ㄉㄜ說ㄕㄨㄛ。

「怎ㄗㄣˇ麼ㄇㄜ了ㄌㄜ？」

「我ㄨㄛˇ的ㄉㄜ右ㄧㄡˋ臉ㄌㄧㄢˇ比ㄅㄧˇ較ㄐㄧㄠˋ好ㄏㄠˇ看ㄎㄢˋ。」她ㄊㄚ本ㄅㄣˇ來ㄌㄞˊ站ㄓㄢˋ在ㄗㄞˋ白ㄅㄞˊ熊ㄒㄩㄥˊ左ㄗㄨㄛˇ邊ㄅㄧㄢ，做ㄗㄨㄛˋ個ㄍㄜˋ手ㄕㄡˇ勢ㄕˋ，要ㄧㄠˋ小ㄒㄧㄠˇ哲ㄓㄜˊ跟ㄍㄣ他ㄊㄚ換ㄏㄨㄢˋ位ㄨㄟˋ置ㄓˋ。

「幹嘛換！」小哲拿起一張黑桃K：「妳跟它一樣，左右臉都長得一模一樣啊。」

「左右臉才不太一樣，像你的左臉就有顆痣。」

「那不算。」小哲用手從額頭上往下一劃：「人的臉，沿著鼻子，在臉的正中間這條線，是左右對稱的。」

叮叮堅持：「那你臉上的痣又該怎麼說？」

　　看他們兩個誰也不讓誰，白熊不慌不忙把手機打開，叫出裡頭的 APP：「你們別吵了。叮叮，看這裡，比個 YA。」

　　叮叮不知道他想做什麼，乖乖的讓白熊照了相，白熊再把照片給他們看。

　　「咦～」叮叮揉揉眼睛。

　　旁邊的小哲把手機拿過去：「這是叮叮的照片沒有錯，可是仔細看，卻跟叮叮不太一樣。白熊，這是怎麼一回事？」

　　「這個照相 APP 可以把你的臉型做左右鏡像對稱，你只要拍完照，馬上就能看到自己對稱的臉長得什麼樣子，很好玩吧！」

「所以，叮叮的臉真的沒有左右對稱耶。」

小哲還沒說完，叮叮把手機搶過去，朝著小哲按下快門。

「怎麼樣？」小哲問。

叮叮開心的把螢幕給大家看：「小哲，你現在左右都有一顆痣，對稱多了。」

小哲仔細看看螢幕裡的臉，臉紅了一下，他說：「還好，雖然我的臉沒有那麼對稱，但是輪廓看起來差不多。白熊，換你了。」

喀嚓！

他們輪流看看三個人的照片，小哲更加肯定自己的推論：「五官雖然不能真正左右對稱，但臉的輪廓可以，白熊有一張正方形的臉。叮叮是圓形臉，而我是……」

「瘦瘦長長，竹竿臉？」叮叮笑他。

「我這是標準的帥氣長方形。如果沿著我鼻子這條線一切，看到沒有，都在形狀的正中間。」

「不，我倒覺得你的臉形是正方形旋轉45度再拉長。」叮叮說。

「有這種形嗎？」小哲問。

「菱形啊，你的臉是上下尖尖中間寬。」

叮叮笑得好開心，但她笑得太大聲，小哲和白熊急忙伸指：「別笑啊。」

噓～

對，他們還沒拍照呢。

「就算是菱形，也是有左右對稱的啊，而且誰說菱形臉不能是一種帥呢？」

小哲說到這兒，學著黑桃K，扮個國王沉思的表情，惹得叮叮說她想吐了。

叮叮當然沒有吐，但講台上的黑板，錚的一聲，變成一個長方形的大螢幕，亮出四張海報大的撲克牌！

生活中的對稱

前兩集看了多邊形與圓形，一個形狀可以有很多個數字：邊長、角度、面積等。數學家發現，當形狀愈有規則，你就愈容易「舉一反三」，從一個數字推理出其他數字。

比方說，告訴你有個正方形的邊長是 3 公分，你就能立刻推算出它的周長是 3×4 = 12 公分，面積是 3×3 = 9 平方公分。那角度呢？這不需要告訴你邊長，你就知道正方形的每個角度是 90 度，而所有四邊形內角和是 360 度。

這是不是很像偵探？光是透過一點點線索，就能推理出一長串真相。這都是數學的功勞！

本集主題的「對稱」，同樣是能幫助我們用線索，找出更多真相的數學知識。簡單的說，學會對稱，你光看一小塊圖形，就能知道整幅圖畫的模樣了！

先來想想，生活中有哪些圖形對稱吧！下雨天後，你盯著馬路上的水窪，倒映出來的街景，是不是和真正的街道恰好上下顛倒。這就是一種對稱。大自然裡也有許多對稱：花草、樹木。因為對稱帶來一種美感，許多設計也刻意製造對稱。

比方說，看完在馬路上的水窪後抬頭看看，很多交通號誌不也存在著對稱嗎？再補充一個跟交通有關的對稱圖案，臺灣鐵路公司的局徽，你有看出它有個國字「台」嗎？設計師把「台」稍微變形，讓局徽左右對稱。是不是比直接用一個台字要更漂亮呢？

想想看，如果遮住局徽的哪些部分，圖案就會同時左右跟上下都對稱呢？

不只台鐵，從前日本統治台灣的時期，台灣許多縣市都有代表的市徽，其中有一些市徽沿用至今，或是增添了新創意。你能認得出這幾個市徽是從哪些中文字變化出來的嗎？加入了對稱的元素，看起來有規律的市徽，是不是很漂亮！或是畫出你的學校校徽，觀察看看，試著找出對稱的地方。

看看這些城市的舊市徽，除了找出哪邊對稱以外，你還能找出市徽裡藏了哪些字嗎？

台北市舊市徽	台中市舊市徽	台南市舊市徽	高雄市舊市徽

對稱的規律性讓我們感受到美、看起來賞心悅目。因此，在很多建築物的裝潢都有用到：窗戶、地磚。特別是以前老房屋，甚至第五集講到的伊斯蘭窗花圖案，也都有豐富的對稱元素。

看了這麼多圖案，你應該對對稱很有感覺了吧。現在考考你，你能用一句話，很清楚的描述出什麼是對稱嗎？

「移動它，讓它看起來跟之前一樣。」

這是英國數學家索托伊用一句話來解釋對稱。在他的眼中，對稱雖然是圖片的特質，可是卻得靠移動或旋轉圖片才能展現。

想想看，剛剛那些對稱的圖片，假如我們看了它一眼，閉上眼睛；這時有人去旋轉或翻轉圖片，我們再睜開眼睛，你沒辦法發現圖片被動過。這就是因為圖片具備了「對稱」的特質（翻轉的另一種想法是對折，折過去之後兩邊的圖案會重合）。

試驗看看，用旋轉或是翻轉，看看磁磚圖案會發生什麼改變？或是什麼都不會改變？

 往右旋轉 180 度

 左右翻轉 ?

 **你或許會想到，人的身體、臉部都有左右對稱。這是真的嗎？**

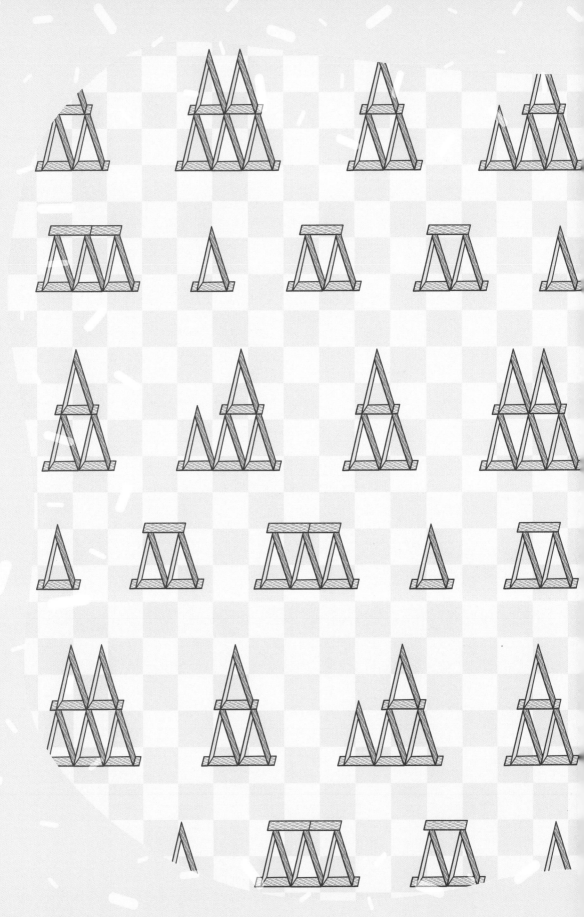

2

誰是與眾不同

「與眾不同？他們三個相互看了一眼，回頭又仔細看看螢幕。

「四張牌都不同啊。」小哲說。

「但是黑桃K明顯與眾不同。」叮叮伸手在黑桃K上按了一下：「太簡單了，大家都是數字，只有它是人像。」

錚～黑板出現一個紅色大叉叉，底下出現一行字：「泥們只剩兩次機會」。

「又來了，鳳凰露露老師該不會又要我們去外太空吧？」叮叮叉著腰，想了半天：「明明是黑桃K的圖案與眾不同啊。」

泥們只剩兩次機會

「總不會是方塊六這麼明顯的答案吧？」小哲沒什麼把握：「只有它是偶數。」

「有時答案就是這麼明顯。」白熊說：「它只叫我們找與眾不同，奇與偶，就是這麼簡單。」

於是，小哲在螢幕上輕輕一按。

錚～紅色大叉叉像在嘲笑他們似的閃了閃。那行字更氣人呢：「嘿嘿嘿～，泥們只剩最後一次機會了。」

「這些撲克牌還有哪些地方與眾不同？」小哲搖搖頭：「我想不出來。」

「別那麼沮喪，你不笑的時候，右臉看起來特別緊繃。」叮叮說：「更不對稱了。」

「啊～」白熊輕輕喊了一聲。

「對啊，小哲只要一沮喪，臉就特別緊繃。」

「不不不，妳剛剛說的下一句。」

「小哲的臉不對稱。」

「對，就是這句，你們看，這四張牌裡，誰沒有對稱？」

小哲認真看了一眼，嘆口氣：「白熊，只有黑桃 K 沒有對稱啊。其它三張都可以從中間的圖案畫出對稱軸。但是，黑桃 K 剛才也試過了，是錯的。我說，反正也只剩下三和九，要不要隨便猜一張？」

對稱軸：左右對稱

每張牌由上往下畫下一條線，就是對稱軸，看看是不是每張牌的左半部和右半部中間花色圖案都一樣？

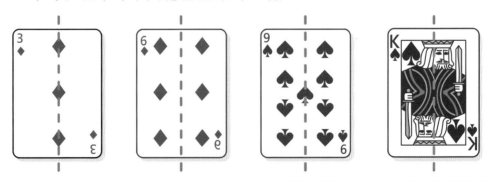

「謎題沒解出來前還是謎題，但關鍵往往就在眼前。」白熊從桌上散落的撲克牌裡拿起一張黑桃K，他對折了一下：「真的沒有對稱軸嗎？」

小哲拿起剪刀，喀嚓一聲，把黑桃K攔腰剪成兩半，再把兩張黑桃K疊在一起：「你們看，折起來左右相反，不對稱。」

叮叮把兩張黑桃K反覆的擺弄，最後，只要把其中一個轉了180度，兩個黑桃K的半身像就會完全一樣。

「好有趣。」她又拿了一張黑桃Q再試了一遍：「你們看，雖然沒有對稱軸，但只要轉180度，就會出現相同的圖形耶。」

「這叫點對稱。」白熊家裡的數學小百科有介紹過：「撲克牌中間設個圓心，用它旋轉180度。」

點對稱：旋轉看看！

原來不只有對稱軸，還有點對稱。將黑桃K旋轉180度，和原先的一模一樣，你也和叮叮一樣試試看黑桃Q吧！

「那會不會是要找這個呢？」小哲開心的說。

他們三個人重新檢查這四張牌。方塊三、方塊六和黑桃K旋轉180度後，都會變成原來的圖案。

「黑桃九，只有黑桃九不行。」叮叮開心的握著拳：「黑桃九與眾不同。」

她的手指在黑桃九上輕輕一壓。

錚～

一個綠色的大勾勾閃動，螢幕底下放起了無聲的煙火。

「恭喜泥們答對了，準備出發。」螢幕上的字樣讓人心情好好，這螢幕還立刻變成了太空船模式，正朝著天空，春天的雲影投落在教室裡。

「但我們還沒拍照啊。」叮叮說。

「拍照？」小哲看看她。

「撲克牌塔啊。」

他們重新擺起姿勢……

三，二，一

　　三個人正要喊聲「起司」的時候，砰～數學集訓室的門被人用力推開，一陣風吹了進來。

　　叮咚叮咚，是鳳凰露露老師。

　　三個孩子急得直噓：「老師……那裡……」

　　幸好，撲克牌塔安然無恙。

　　「撲克牌塔差點兒就被妳破壞了。」小哲喊著。

「什麼塔啊？」鳳凰露露走了過來，伸手拿起一張牌。

「老師！」三個孩子再次大叫。

「泥們怎麼了？」

她狐疑的看看孩子們，那三個孩子看著撲克牌塔，咦，牌塔沒有倒，他們同時拍拍胸口：「沒事，沒事。」

「害窩嚇了一跳呢，只是一張牌啊。」於是，她把那張牌放回去，颯的一聲，十層撲克牌塔瞬間全垮了。

「還是倒了。」三個孩子嘆了口氣：「我們還沒照相呢。」

「但是，泥們找出太空船的開機密碼啦。」鳳凰露露看看他們：「曹前、曹後剛才也把密碼解開，他們的太空船比你們早一步升空了。」

「這麼厲害？」三個孩子同時問。

「因為泥們忙著做這個嘛。」鳳凰露露手上像是有股超強的吸力，她食指輕輕往上一揚，落在地上的撲克牌，神奇的立刻站了起來。

「二十層高的撲克牌塔？」三個孩子同聲大叫，而太空船也在他們的叫聲中，抖了抖，飛上天去。

阿

對稱的意義：對稱軸

　　仔細看看，我們左右兩眼、眉毛的大小和形狀都有點差異。恐怕只有像是麵包超人跟哆啦A夢等卡通裡出現的人物，才擁有真正的左右對稱臉。數學講究完全精確，只要有一點點差別，就不能稱為對稱。兩個圖形一模一樣，數學有個專有名詞，叫做**「全等」**──意思就是「完全相等」。

　　一張圖對稱，意思是有某些部分「全等」，可能是上下或左右半部。前面說到，中文字蛻變出來的台灣市徽有對稱美，其實有些中文字本身就對稱。比方說，《名偵探柯南》有一集的壞人因為熱愛對稱，把自己的名字從「森谷貞治」改成了「森谷帝二」，新名字的 4 個字都左右對稱。

你和好朋友的名字，有沒有哪個字也有對稱呢？爺爺喝的「高山茶」，咦～這三個字是不是也剛好左右對稱！

藝術的對稱很美，名字的對稱有個好處（可能沒人這麼做）：寫名字可以偷懶。比方說，森谷帝二寫名字只要寫左半邊，再說：「我的名字左右對稱，右半邊一模一樣，不用寫啦。」如果別人不相信，他便拿出鏡子一擺，就會出現完整的森谷帝二。

講到這裡，你已經學會很精確的說法：

「對稱是，你可以在圖案中找到一條直線（對稱軸），直線兩側的圖案，對折起來完全重合。」

上下對稱和左右對稱的差別，其實就是對稱軸的方向不同。上下對稱的對稱軸是左右方向（橫線），左右對稱的對稱軸是上下方向（直線）。

請拿一面鏡子放在虛線上，是不是出現完整的「森谷帝二」四個字。 這面鏡子擺放的位置，在數學上稱為「對稱軸」

上下對稱

左右對稱

四邊形的對稱

標誌上的綠色虛線就是
一條斜的對稱軸。

上下對稱有 1 條對稱軸、左右對稱也有 1 條對稱軸，一張圖片如果同時上下對稱又左右對稱，不就有 2 條對稱軸嗎？沒錯，一張圖片可以有多條對稱軸，就像「田」字，再仔細看看，田只有 2 條對稱軸而已嗎？

既然對稱軸有上下、左右方向，自然也可以有斜的方向。因此，田不只有水平與垂直 2 條對稱軸，還有 2 條斜向對稱軸。當然，這是假設「田」字是 1 個大正方形，裡面包了 4 個小正方形的情況。

換句話說，1 個正方形有 4 條對稱軸，2 條垂直從 1 組對邊的中點通過；還有 2 條恰好是正方形的對角線。那麼其他的四邊形又有幾條對稱軸呢？

34

長方形、菱形、平行四邊形又有幾條對稱軸？在動手確認之前，你能不能先在腦海裡想像出來？

　　現在來動手囉，除了畫畫看，用折的其實更快。拿一張該形狀的紙，沿著你想像的對稱軸對折，如果折過去後的形狀重合，恭喜你答對了！

　　長方形跟菱形都有 2 條對稱軸。有趣的是，長方形 2 條對稱軸垂直通過對邊，菱形的對稱軸是 2 條對角線，這兩個合起來剛好是正方形的 4 條對稱軸。你有沒有似曾相似的感覺？

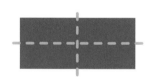 

長方形的對稱軸　　**菱形的對稱軸**　　**平行四邊形的對稱軸**

　　第七集介紹菱形的「4 邊一樣長」，長方形的「4 個角度一樣大」，正方形則是兩者兼具。現在又出現一次，正方形有菱形跟長方形的對稱軸。

　　至於平行四邊形，不管你怎麼折，都找不到一條對稱軸。它明明看起來就有對稱啊！

點對稱

　　平行四邊形，跟故事中撲克牌黑桃Q一樣，它沒有對稱軸，但它有一個「**中心點**」。當你按住中心點，將圖形旋轉180度，會發現和原來的圖形一模一樣。為了區分兩種對稱，有對稱軸的叫做「**線對稱**」；以點為中心的叫做「**點對稱**」。那麼我們就好奇一件事了：為什麼撲克牌的設計會到用點對稱呢？

　　這是一張線對稱的撲克牌，不覺得看起來不太對勁嗎？一部分是看不習慣，另外一部分是，因為K與紅心都擺在同一側，看起來好像左邊比較重；轉過來，就是右邊比較重，沒有平衡。想想看拿起一疊撲克牌，你發現有些數字符號在左邊，有些在右邊。是不是會下意識的想去整理一下呢？

36

撲克牌用點對稱，便沒有上下（左右）的差別，不管怎麼轉，撲克牌的樣式都不會改變。線對稱的對應動作是對折，點對稱的對應動作是旋轉。玩撲克牌時，每一張牌會被旋轉，所以使用點對稱，抵銷旋轉造成的變化。

因為點對稱的關係，拿起剪刀剪過撲克牌的中心，隨便剪成兩張。旋轉後，你都會得到兩張一模一樣的圖案。

一張圖可能既有上下對稱，又左右對稱，自然也可以同時線對稱又點對稱；長方形、菱形就是兩個例子（你應該會立刻想到正方形也是）。看看 S H E 這 3 個英文字母，哪個剛好符合點對稱、線對稱、或是同時符合點對稱和線對稱呢？

連連看

S
H
E

• 點對稱

• 線對稱

正多邊形有幾條對稱軸

　　一包五彩繽紛的糖果，每顆包裝紙都不同。你挑了顆有 1 條白紋的紅色包裝，吃起來有點酸；再拿一顆，有 2 條白紋的紅色包裝，吃起來更酸。如果愛吃酸，你就知道該去找有很多條白紋的紅色包裝。這樣的推理很理所當然；數學，其實也是這麼理所當然。

　　舉例來說：正方形（正四邊形）有 4 條對稱軸，正五邊形、正六邊形的對稱軸有多少呢？正五邊形有 5 條對稱軸，正六邊形有 6 條對稱軸。現在，你連畫都不用畫，就能推理出正三角形跟正八邊形各自有幾條對稱軸嗎？可以畫圖來驗證你的答案喔。

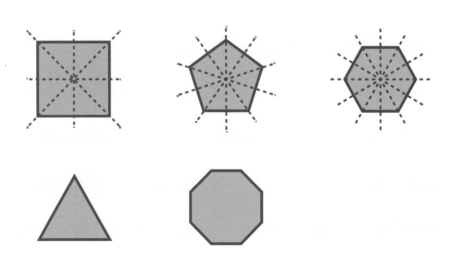

能歸納出「正多邊形邊數與對稱軸的數目一樣」很了不起，更了不起的是進一步了解為什麼？

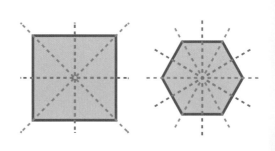

看看先前的正四邊形與正六邊形的對稱軸，正四邊形的 4 條對稱軸剛好兩兩分成 2 組：1 組是 2 條對角線，另外 1 組的 2 條，各自通過 1 組平行對邊。正六邊形的對稱軸依然分成 2 組，每組變成 3 條，3 條對角線和 3 條通過平行的對邊。

我們慢慢整理，到後面你會發現自己愈寫愈快，這是因為你已經掌握規則了。

如果你掌握了規則，應該很簡單就能完成這張表！

	對角線對稱軸數目	對邊對稱軸數目	對稱軸總數
正四邊形	2	2	4
正六邊形	3	3	6
正八邊形	4	4	8
正十邊形	5	5	10
正十二邊形	？	？	？
正十四邊形	？	？	？

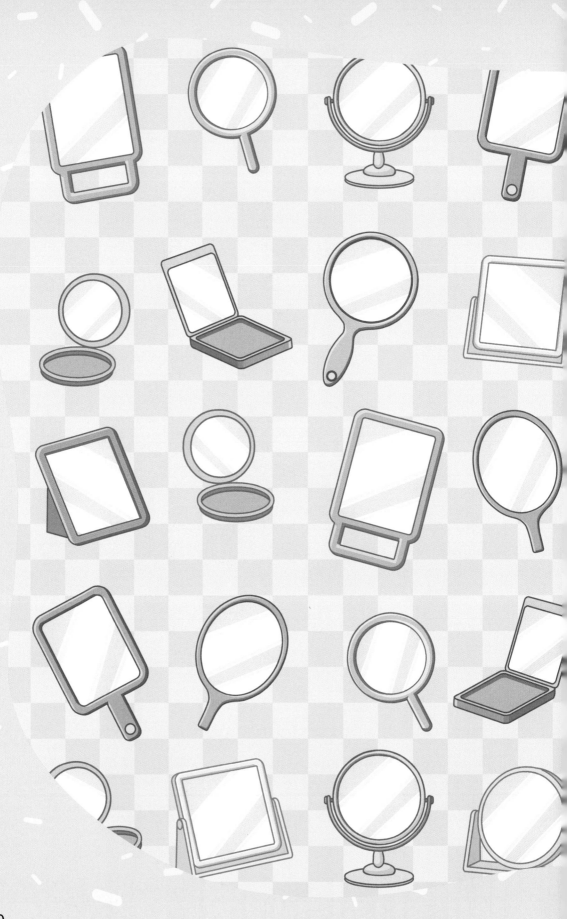

第三章

鏡子星球

教室太空船很快跟太空站做結合；太空站裡，曹前、曹後早一步到了，他們正在拌嘴。

　　兩個人辯論的主題是：「自然界裡，有沒有完全對稱的事物？」

　　曹前認為沒有，即使是蝴蝶或天牛，牠們的身體應該會有些微的不同。

　　「只有一點點不同的誤差，還是在容許範圍內。」曹後正在反駁他，因為光顧著辯論，所以白熊和小哲跟他們打招呼，兩個兄弟也沒聽到。

　　鳳凰露露快速的給他們一人一個擁抱：「我的擁抱是完全對稱的。」

　　曹前搖搖頭，他想否認。

　　曹後點點頭，他想支持。

鳳凰露露不給他們說話的機會：「恭喜泥們，終於走到最後一步了。」

「今天是最後考驗了嗎？」叮叮問。

鳳凰露露笑著發卡片，一隊一張。那是一張圓形的卡片，用切割線分成大小不同的四份，每一份都有不同的圖形，乍看就像四種口味拼出來的披薩。

「先找到答案的那組，就是宇宙數學社的冠軍。」

「冠軍？有獎金嗎？」曹前、曹後的眼睛亮了。

「冠軍還要去參加全國賽或宇宙大賽嗎？」小哲笑著問。

「泥們拿到冠軍就知道了。」

鳳凰露露打開艙門，門外是一顆比禮堂大不了多少的星球，上頭布滿了鏡子。

小哲搶先跳下去：「這裡有氧氣，我們可以呼吸！」

曹前、曹後也說：「這裡也有重力，可以放心走下來。」

五個孩子在鏡子星球上歡呼著，他們看見鏡子裡的自己，忍不住都露出古怪的表情。尤其是小哲，他特別看著自己臉上的痣，如果沒有這顆痣，他的臉一定更對稱了。

「這一定是魔鏡。」叮叮笑著在鏡前喊：「請告訴我，誰是世界上最美的人？」

五個孩子異口同聲的說：「鳳凰露露老師！」

「泥們不要拍『屁馬』了，想辦法回來吧，再見。」鳳凰露露走回太空站，門無聲的關上。

鏡子星球安安靜靜，一顆乳白色的星星緊貼著鏡子星，溫和的光芒，照亮鏡子星。

「這裡不可能是外太空。」曹前判斷：「我們可以呼吸。」

「鳳凰露露老師就是有辦法啊。」曹後說：「宇宙這麼大，什麼事都有可能，所以一定有可以呼吸的星球。」

他們兩兄弟想拿第一，但是意見很不統一。一個想向左走，一個想向右走，站在登陸的地方，討論了很久，還是找不出方向。

叮叮拉著白熊和小哲：「我們也趕快找出口吧。」

鏡子星球是個超級大的迷宮。走道的兩邊全是比人高的鏡子，每兩片鏡子圍出一個個小小的空間，走過鏡子前。

　　「咦～」小哲大叫著：「有4個我。」

　　「這裡更多，鏡子裡有7個我。」叮叮在鏡子前搔搔頭髮，白熊也擠進這鏡像裡，兩個人相互看一看，鏡子裡的他們也在笑。

　　「好有趣哦。」

　　「這一定是某個遊樂園的哈哈鏡。」小哲說。

　　這些空間一個連著一個，有時還有叉路，叉路又不只一條，他們三個不敢分散，三個人在通道裡摸索、觸碰、尋找。

　　小哲就不只一次的撞到鏡子，他笑著問：「這到底要怎麼走出去？」

「別忘了這個。」白熊揚揚手裡的卡片：「這一定跟出口有關。」

叮叮笑著說：「白熊沒說，我還差點忘了，只顧著玩迷宮，我都快變成小哲了。」

那張卡片上有四個圖案，其中兩個是直角90度，另一邊的兩個圖案大小不同。

小哲說：「小的看起來是90度的一半，應該是45度跟60度吧。」

「很好，然後呢？」叮叮鼓勵他。

「啊啊啊～90，90，45和60。」小哲很開心：「這一定是密碼。」

白熊搖搖頭：「鏡子星上沒有保險庫，也沒有密碼鎖。」

小哲看看四周：「這裡只有鏡子。」

「每個鏡子空間出現的我們，數量都不太相同，前一間照出兩個我。」叮叮指著前一間：「那一間，有11個我。」

小哲笑她：「一會兒2個，一會兒11個，你是不是數錯了。」

「你們跟我來，自己數數看。」叮叮很有把握，她帶大家回到前一間，仔細數了數：「真的11個。」

小哲喃喃自語的說：「有時 2 個，有時 11 個，還有一些出現 5 個？好奇怪。」

叮叮倒是發現：「兩片鏡子的夾角如果愈小，就會照出愈多個我；夾角愈大，出現愈少個我。」

「這一定有某一種規律。」白熊把手上那張圖片拆開來，拿著 90 度的圖片當工具，找到夾角 90 度的那一間，鏡子裡出現 3 個他。

「那如果是 45 度的呢？」小哲找到 45 度的房間，鏡子裡有 7 個他。

「90 度時，有 3 個人像；45 度時，出現 7 個人像……」小哲看看大家：「這樣有規則嗎？」

「三個人像在裡頭，感覺就像圍成一圈，一圈是 360 度，除以 90 度，那就是 4。」白熊算到這裡：「奇怪，明明要有 4 個成像，可是數來數去，只有 3 個。」

叮叮拍拍手：「白熊，如果加上你自己，就是 4 個像啊。」

小哲很開心，飛奔到 45 度的房間，笑著說：「360 除以 45，是 8。鏡子裡出現 7 個，要再加我一個，也是 8 個。」

「好好玩哦，倒過來說，即使不知道夾角，只要數數鏡子裡出現的人數加上 1，一樣可以算出夾角。」

鏡子影像的祕密：360 度 ÷ ？？？

春日小學三人組果然厲害，找出鏡子影像數量的祕密，原來鏡子夾角的角度愈小，鏡子裡的影像數量愈多，那當中的規則是：

90 度鏡子房間

360 度 ÷90 = 4

→鏡子出現 3 個影像，加 1 個實際物體。

45 度鏡子房間

360 度 ÷45 = 8

→鏡子出現 7 個影像，加 1 個實際物體。

叮叮和小哲在鏡子星球裡走走算算。

　　「出現兩個人影時，加上自己，那就是 360 除以 3，所以這間是 120 度。」叮叮說完，突然想到：「啊，我們知道夾角，也知道從人像算夾角角度，但是，這跟解謎有什麼關係？」

　　「什麼關係？」小哲看看白熊手裡的卡片，他拿起 90 度的卡片看著，突然想到：「這張圖只有四分之一，如果把它貼在 90 度夾角的鏡子上呢？」

　　「那就會出現一個 360 度完整的圖片。」叮叮跳起來，拿起 90 度圖片跑進直角的房間，當她把圖片擺到夾角中間時，沒錯，出現一張完整的圖片，是雪花。

　　「這是答案了嗎？」小哲問，鏡子沒反應，他又把另一張 90 度的圖擺上去，是一朵美麗的牡丹花。

　　「這也不是答案嗎？」小哲又問，鏡子還是沒反應。倒是遠遠的傳來曹前、曹後歡呼的聲音，他們找到答案了嗎？

什麼事都沒發生～

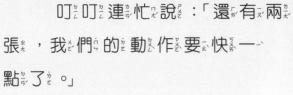

叮叮連忙說：「還有兩張，我們的動作要快一點了。」

「前面那間是出現7個人影的。」白熊說。

「45度。」叮叮帶頭：「如果還是不對，我們再去找60度……」

她還沒去找60度。曹前、曹後跑過她們身邊，急呼呼的說：「60度在哪裡？」

「他們也快找到了。」小哲催著：「叮叮，妳快點。」

叮叮戰戰兢兢的把45度的卡片靠過去，隔壁有人大叫：「也不是60度。」

52

看來曹前他們也失敗了。

「妳快點。」小哲喊著。

叮叮急，卡片還沒碰到45度的夾角，那裡卻有股吸力，把卡片吸過去，鏘的一聲，一陣閃光，哇！鏡裡出現一顆閃著藍光的寶石。只是，他們還沒看仔細，寶石底下有張紙片，它竟慢慢的自己組合，變成一個正方形的盒子，把寶石蓋住了。

45度夾角的鏡子，緩緩的打開，是條通道。

「我們找到出口了？」他們三個人小心翼翼的走進通道裡。

沒想到，另一邊，曹前、曹後也正走過來。

兩個通道都通向了太空站，鳳凰露露就在那裡朝他們揮手，給每個孩子一個大大的擁抱：「泥們闖過鏡子星的考驗了。」

「那誰是冠軍呢？」五個孩子異口同聲。

「任務還沒結束啊。」鳳凰露露的臉上有著神祕的微笑。

「還有任務？」曹前問。

「不管什麼任務，我們都能克服。」曹後也說。

鳳凰露露眼睛眨了眨：「泥們剛才都見過了，忘『機』了嗎？」

「啊～」五個孩子同時睜大了眼：「剛才看過了，卻忘『機』了？」

他們努力的回想，究竟看到了什麼，追問著鳳凰露露，她卻什麼也不肯說⋯⋯

什麼！鏡子星竟然不是最後一關，沒想到春日三人組和曹前、曹後還要再比。先別急著看下一集，後面還有更多有關鏡子星的數學知識喔！

鏡子成像原理

　　故事裡的鏡子世界，根據兩面鏡子的夾角變化，讓鏡子裡出現不同數目的小哲或叮叮。我們先用夾角90度的兩面鏡子來看看，你也找找看家裡有沒有折疊的鏡子，一起做實驗吧！

　　我們在圖片裡看到，當物體放在兩面鏡子正中間時，鏡子裡出現3個物體。其中，2面鏡子各自照出1個物體；第3個物體則是「鏡子裡的鏡子裡的物體」。你可以想成是左邊鏡子裡的物體，出現在右邊鏡子裡的結果。反過來也是，只是這兩個物體剛好疊在一起。

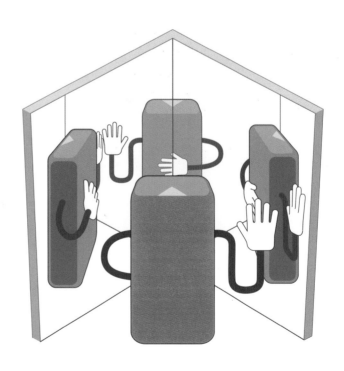

這樣有點難理解，讓我們以鏡子寬度為半徑，鏡子交會處為圓心，畫出一個圓。圓下方有一塊扇形（像披薩的形狀），靠近圓心的夾角是鏡子夾角 90 度，原本的物體（紅色）被放在這裡。

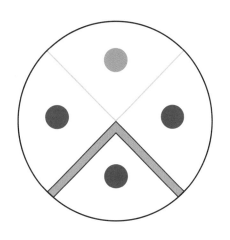

因為鏡子反射，左右兩邊各自有一個成像（紫色），你可以想成它們是把有著原本物體的扇形，順（逆）時針轉 90 度後的結果。並且有著成像的扇形再轉 90 度，就是鏡子裡的鏡子裡的物體（橘色）。

一個圓有 360 度，鏡子的夾角 90 度：

$$360 \div 90 = 4$$

總共有四個成像，其中有一個是原本的物體：

$$360\ 度 \div 夾角角度 - 1 = 成像數目$$

這是小哲他們在故事中推理出來的關係。現在，你是不是也知道它背後的原理啦。

數感遊戲
鏡子星球萬花筒

　　當小哲他們在鏡子星球裡闖關時，你偷偷收到鳳凰露露老師的邀請，老師把你變成宇宙支配者，從鏡子星球的正上方俯看。有一大群人跑來跑去，哇！撞到一起了。等等，沒事沒事，那是小哲跟他在鏡子裡的分身，小哲走近兩面鏡子的夾角，看起來就像好幾個小哲要撞在一起。另一頭有好幾個叮叮分頭離開，那邊還有幾個白熊站在原地不動。

　　你想起來這跟某一個東西好像……萬花筒！

　　原來鏡子星球是個萬花筒啊。你再想想，搞不好你沒有變成巨人，是小哲他們縮小，跑進「鏡子星球」這個萬花筒裡闖關……現在，來搭建鏡子星球吧！

遊戲道具 請從書末遊戲配件頁自行影印後剪取

❶ 鏡子兩片

請自備

❷ 角度卡紙一張

請從書末遊戲配件頁自行影印後剪取

❸ 彩色亮片、A4 軟鏡子1片、A4 透明塑膠片1片、A4 西卡紙2 張、透明膠帶、剪刀或刀片 (以上請自備)

※ 軟鏡子可以在美術材料行或是網路商店購買。

遊戲玩法

❶ 鏡子成像觀察

將兩片鏡子擺在角度卡紙上再放一個簡單的小圖案，調整看看，讓鏡子裡出現 2 個、3 個、5 個、7 個圖案。記錄下來，這時候兩片鏡子的夾角各是多少呢？

❷ 萬花筒成像觀察

1　依照書末遊戲配件頁裡的萬花筒紙模，在西卡紙上裁剪出對應的形狀。包含1片三角形（觀察孔）、1片長方形（鏡筒）。

2　請將軟鏡子剪成 3.5 公分 ×15 公分的長條，共三條，再貼上萬花筒的紙模。再把紙模組合成三角柱（鏡子朝內）。

3　將鏡筒開口放在透明塑膠片上，並用筆畫出開口大小再剪下，一共剪下兩片三角形。

4　重疊兩片三角形，用透明膠帶黏貼兩邊，製作成一個三角口袋。在口袋內可以放入適量亮片，最後用膠帶封口。

5　在鏡筒的一端開口，用膠帶黏上裝有亮片的塑膠三角片（步驟 4）；另一端則是黏上觀察孔三角片，三角片請記得打洞。

6　最後將塑膠三角片對著光源，就可以透過觀察孔看到對稱的圖案了。

數感討論

當只放兩面鏡子時，你的測量結果是不是這樣：

成像數目	2	3	5	7
夾角角度	120	90	60	45

看起來沒有規律，如果把原來的圖案數目加進去，也就是多加 1，就會變成：

成像數目＋1	3	4	6	8
夾角角度	120	90	60	45

是不是可以得到：「角度 ×（成像＋1）＝ 360 度」的結果呢？這就是小哲他們在故事裡的發現喔。

兩面鏡子時，萬花筒裡的影像就像出現了一個圓圈，重複的圖形圍繞著圓心。加入第三面鏡子後，萬花筒裡變成了一整片的圖案，圖像不斷重複出現，遠比兩面鏡子來得更多。來試著了解它那更複雜的成像吧！

首先，3面鏡子所形成的三角形，每一面都會反射一個物體，相當於沿著每條邊各自出現一個三角形，裡面有反射的對稱圖案。每一面鏡子除了反射物體，還會反射別面鏡子裡的成

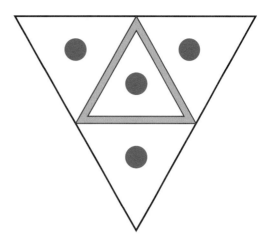

像，反射的成像又會再反射，重複下去，最後會出現無數個對稱的三角形，鋪滿了整個平面。

2面鏡子成像跟夾角有關。3面鏡子的萬花筒成像和三角形的3個內角有關。我們製作的萬花筒，3面鏡子寬度一樣，是正三角形，鏡子不斷反射，像是整個平面都鋪滿正三角形。如果萬花筒的三面鏡子組合是等腰直角三角形，或角度是30度、60度或90度的三角形，就變成了用別種三角形鋪滿平面，甚至還有用四面鏡子的萬花筒。

不妨去文具店找材料再做一個萬花筒，觀察不一樣的對稱吧！

你是不是沒想過萬花筒除了美麗，還很數學喔！

給家長的數感叮嚀

本集主題「對稱」和中年級「平面圖形的全等」、「旋轉角」與高年級「線對稱」的知識點相關。生活中有許多對稱圖案，我們也很容易察覺到，好比說，許多中文字或英文字母都有對稱。我們的數感實驗課就曾經帶著小朋友把26個英文字母依照點對稱、線對稱、同時有點對稱與線對稱的方式來分類。走在路上，你也能隨時看到許多對稱的圖案。對稱看起來很簡單，為什麼要特地花一集的篇幅來講呢？

沒有數字與計算的數學

許多人判定是不是跟數學有關的方法就是看有沒有數字，有沒有計算。這剛好對應到數學的兩個階段：描述與推理。我們一再強調數學是精確的語言，用數字描述就是精確的展現；計算則像福爾摩斯能僅從鞋子推理出對方的職業一樣，能得到比眼前所看到的，還要更多的現象。

最簡單的例子，我們都覺得朝三暮四的猴子不聰明，但其實任何一個不懂加法的人，都可能會跟猴子一樣，無法察覺怎麼變都是7個。另一個例子是三角測量，現代有google網路地圖，但古代行軍時，如果有一位懂得三角測量的軍師，不需要斥候奔跑，他只要找個標的物，就能估測出距離目標城池還有多遠。小說或古裝劇裡常說「軍師掐指一算」，在算的，或許就是數學。

對稱符合數學的描述與推理兩階段，它用精準的方式描述圖形的規律性。而當我們知道一張圖具備怎樣的對稱特性後，只要看見圖的一部分，就能推理出整張的模樣。對稱是一個好例子，讓小朋友不需要碰觸到太多數字，依然感受到數學的特性，拓展對數學的想像，進而更了解數學的本質，破除「數學＝計算」的迷思。

練習用數學描述

對稱雖然好理解，但想清楚的描述它，其實還真的不容易。數感百科中，我們鼓勵小朋友嘗試用數學語言描述。把自己的數學思考過程寫下來，或是大聲說出來，這有點像教學相長的入門款，還不到教別人，但光是得寫（說）出來，就有助於理解。

正確的對稱描述，需要用到垂直、平分、翻轉、旋轉等數學名詞，書中礙於篇幅，沒詳細介紹、定義它們。如果小朋友在理解名詞上有困難，建議家長可以用操作的方式輔助理解。小朋友應該都看過物體翻轉，看過兩條線垂直，它們不是新觀念，因此我們只要喚醒小朋友的記憶，再將它們跟數學專有名詞連結，小朋友就會對抽象的數學定義更有感覺。

欣賞數學定義之美

這集也藉著對稱，重新複習多邊形，包括幾個重要的四邊形：平行四邊形（點對稱）、菱形（點對稱與2條線對稱）、長方形（點對稱與2條線對稱）。正方形有菱形與長方形的2條對稱軸，一共是4條對稱軸。我們同時提到第七集長方形「4個角度一樣大」，菱形「4條邊一樣長」，正方形兩者兼具。您如果有時間的話，不妨和小朋友一起思考，正方形的2條對稱軸，是否和4個角度一樣大有關係。

另一個可以思考的地方是，數感百科裡提到，正多邊形的對稱軸數目跟邊數一樣。但我們只解釋了邊長數為偶數的正多邊形為什麼會這樣，而且也只有靠著不斷舉例，並沒有很嚴謹的用數學語言解釋原因。真正的說法是：邊數是偶數的正N邊形，恰好有N/2條對角線是對稱軸，還有N÷2組平行對邊，它們的中點連線，是另外N/2條對稱軸。

如果小朋友有興趣，您可以慢慢解釋，讓他們理解這段描述。前面我們說過，鼓勵小朋友練習把觀念用數學語言陳述；看別人怎麼做，從中模仿學習，是最好的方法。從這個角度來看，嚴謹的數學定義雖然有些枯燥，卻是小朋友學好數學的必經過程。小朋友因為自己無法描述清楚，看了答案，就能感受到數學定義精簡且精確的美，而不是枯燥乏味的那面。

總結來說，練習描述與學習定義是一體兩面，在數學學習中都是非常重要的一環。

更多的親子數學思考活動

最後我們再補充兩個數學思考活動,您可以和小朋友一起腦力激盪看看。第一個是,奇數邊的正多邊形,為什麼對稱軸的數目跟邊長數一樣。第二個是,圓形有幾條對稱軸呢?

第二個問題的答案是,當正多邊形的邊數愈來愈多,會愈來愈像一個圓。圓形是有無限多條邊的正多邊形,也有無限多條的對稱軸,通過圓心,沿著任意一條直徑對折,兩片半圓都會重合。有無窮多條的對稱軸,難怪圓形看起來那麼和諧、對稱。

第一個問題,就交給您們親子一起腦力激盪囉。

數感小學冒險系列
套書企劃緣起

國立臺灣師範大學電機工程學系副教授、
數感實驗室共同創辦人／賴以威

我要向所有關心子女數學教育的家長，認真教學的國小老師脫帽致意，你們在做一件相當不容易的事，因為根據許多國際調查，臺灣學生普遍不喜歡數學、對自己的數學能力沒信心，認為數學一點都不實用。這些對數學的負面情意，不僅讓我們教小朋友數學時得不斷「勉強」他們，許多研究也指出，這些負面情意會讓學習效果大打折扣。

我父親是一位熱心數學教育的國小教師，他希望讓大家覺得數學有趣又實用，教育足跡遍布臺灣。父親過世後，我想延續他的理念，從2011年開始寫書演講，2016年與太太珮妤一起成立「數感實驗室」，舉辦一系列給小學生的數學實驗課，其中有一些受到科技部的支持，得以走入學校。我們自己編寫教材，試著用生活、藝術、人文為題材，讓學生看見數學是怎麼出現在各領域，引發他們對數學的興趣，最後，希望他們能學著活用數學（我們在2018年舉辦的數感盃青少年寫作競賽，就是提供一個活用舞台）。

「看見數學、喜歡數學、活用數學」。這是我心目中對數感的定義。

2年來，我們遇到許多學生，有本來就很愛數學；也有的是被爸媽強迫過來，聽到數學就反彈。六、七十場活動下來，我最開心的一點是：周末上午3小時的數學課，我們從來沒看過一位小朋友打瞌睡，還有好幾次被附近辦活動的團體反應可不可以小聲一點。別忘了，我們上的是數學課，是常常上課15分鐘後就有學生被周公抓走的數學課。

可惜的是，我們團隊人力有限，只能讓少數學生參與數學實驗課。於是，我從30多份自製教材中挑選出10個國小數學主題，它們是小學數學的重點，也是我認為與生活息息相關。並在王文華老師妙手生花的創作下，合作誕生這套《數感小學冒險系列套書》。這套書不僅適合中高年級的同學閱讀。我相信就算是國中生、甚至是身為家長與教師的您，也能從中認識到一些數學新觀念。

本套書的寫作宗旨並非是取代學校的數學課本，而是與課本「互補」，將數學埋藏在趣味的故事劇情中，讓讀者體會數學的樂趣與實用。書的前半段故事讓小讀者看到數學有趣生動的一面；中段的「數感百科」則解釋了故事中的數學觀念，發掘不同數學知識之間的連結，和文史藝術的連結；再來的「數感遊戲」延續數學實驗課動手做的精神，透過遊戲與活動，讓小朋友主動探索數學。最後，更深入的數學討論和故事背後的學習脈絡，則放在書末「給家長的數感叮嚀」，讓家長與老師進一步引導小朋友。

過去幾年來，我們對教育有愈來愈多元的想像，認同知識不該只是背誦或計算，而是真正理解和運用知識的「素養教育」。許多老師和家長紛紛投入，開發了很多優秀的教材、教案。希望這套書能成為它們的一分子，得到更多人的使用，也希望它能做為起點，之後能一起設計出更多體現數學之美的書籍與活動。

王文華╳賴以威的數感對談

用語文力和數學力
破解國小數學之壁

不少孩子怕數學，遇到計算題，沒問題。但是碰上應用題，只要題目文字長些、題型多點轉折，他們就亂了。數學閱讀對某些孩子來說像天王山，爬不上去。賴老師，你說說，這該怎麼辦？

這是個很有趣的現象，我們希望小朋友覺得數學實用（小朋友也是這麼希望），但跟現實連結的應用題，卻常常是小朋友最頭痛的地方。我覺得這可能有兩種原因：

① 實用的數學情境需要跨領域知識，也因此它常落在三不管地帶。
② 有些應用題不夠生活化、也不實用，至少無法讓小朋友產生共鳴。

原來如此，難怪我和賴老師在合作這套書的過程，也很像在寫一個超級實用又有趣的數學應用題。不過你寫給我的故事大綱，讀起來像考卷，有很多時候我要改寫成故事時，還要不斷反覆的讀，最後才能弄懂。

老師的數學太專業了啦！

呵呵，真不好意思，其實每次寫大綱都想著「這次應該有寫得更清楚了」。你真的非常厲害，把故事寫得精彩，就連數學內涵都能轉化得輕鬆自然。我自己也喜歡寫故事，但看完王老師的故事都有種「還是該讓專業的來」的感嘆。

這並不是賴老師太壞心，也不是我數學不好，而是數學學習和文學閱讀各自本來就是不簡單，兩者加起來又是難上加難，可是數學和語文在生活中本來就分不開。再者，寫的人與讀的人之間也是有著觀感落差，往往陷入一種自以為「就是這麼簡單，你怎麼還不懂」的窘境。

小朋友怎麼從一個具象的物體轉換成抽象的數學呢？

→ 當小朋友看到一條魚（具體）
→ 腦中浮現一隻魚的樣子（一半具體）
→ 眼睛看到有人畫了一條魚（一半抽象）
→ 小朋友能夠理解這是一條魚，並且寫出數字1

大人可以一步到位的1，對年幼的孩子來講，得一步步建構起來。

還有的老師或家長只一味要求孩子背誦與解題，忽略了學習的樂趣，不斷練習寫考卷。或是題型長一點，孩子就亂算一通。最主要的原因是出在語文能力不足，沒有大量閱讀的基礎，根本無法解決落落長又刁鑽得要命的題型。

而且賴老師，我跟你說：大人們總是覺得看起來簡單得要命的小學數學，為什麼小孩卻不會？

最大一個原因在於大人忘了他們當年學習的痛苦。

以色列理工學院的數學教授阿哈羅尼（Ron Aharoni）提到，一堂數學課應該要有三個過程：從具體出發，畫圖，最後走向抽象。小朋友學習數學的過程非常細微，有很多步驟需要拆解，還要維持興趣。照表操課講完公式定理也是一堂課，但真的要因材施教，好好教會小朋友數學，是一門難度很高的藝術。而且老師也說得沒錯，長題型的題目也需要很好語文理解能力，同時又需要有能力把文字轉譯成數學式子。

確實如此，當我們一直忘記數學就存在生活中，只強調公式背誦與解題策略，讓數學脫離生活，不講道理，孩子自然害怕數學。孩子分披薩，買東西學計算，陪父母去市場，遇到百貨公司打折等。數學如此無所不在，能實實在在跟數量打足交道，最後才把它們變化用數學表達出來。

沒有從事數學推廣前，我也不覺得數學實用、有趣。但這幾年下來，讀了許多科普書、與許多數學學者、老師交流後，我深信數學是非常實用的知識，甚至慢慢具備了如同美感、語感一樣的「數感」。我也希望透過這套作品，想要品味數學的父母與孩子感受到數學那閃閃發亮的光芒，享受它帶來的樂趣。

讓孩子喜歡數學的絕佳解方

臺灣大學電機工程系教授、PaGamO 創辦人／葉丙成

要讓孩子願意學習，最重要的是讓他們覺得學這東西是有用的、有趣的。但很多孩子對數學，往往興趣缺缺。即便數學課本也給了許多生活化例子，卻還是無法提起孩子的學習熱忱。

當我看到文華兄跟以威合作的這套《數感小學冒險系列》，我認為這就是解方！書裡透過幾位孩子主人翁的冒險故事，帶出要讓孩子學習的數學主題。孩子在不知不覺中，隨著主人翁在故事裡遇到的種種挑戰，開始跟主人翁一起算數學。這樣的表現形式，能讓孩子對數學更有興趣、更有感覺！

而且整套書的設計很完整，不是只有故事而已。如果只有故事，孩子可能急著看完冒險故事就結束了，對於數學概念還是沒有學清楚。每本書除了冒險故事外，還有另外對應的數學主題的教學，帶著孩子反思剛才故事中所帶到的數學主題，把整個概念介紹清楚，確保孩子在數學這一部分有掌握這次的主題概念。

更讓我驚豔的，是每本書最後都有一個對應的遊戲。這遊戲可以讓孩子演練剛才所學到的數學主題概念。透過有趣的遊戲，讓孩子可以自發地做練習數學，進而培養孩子的數感。我個人推動遊戲化教育不遺餘力，所以看到《數感小學冒險系列》不是只有冒險故事吸引孩子興趣，還用遊戲化來提昇孩子練習的動機。我真心覺得這套書，有機會讓更多孩子喜歡數學！

用文學腦帶動數學腦，
幫孩子先準備不足的先備經驗

彰化原斗國小教師／林怡辰

數學，是一種精準思考的語言，但長期在國小高年級第一教學現場，常發現許多孩子不得其門而入，眉頭深鎖、焦慮恐懼。如果您的孩子也是這樣，那千萬別錯過「數感小學冒險系列」。

由小朋友最愛的王文華老師用有趣濃厚的故事開始，故事因為主角而有生命和情境，再由數感天王賴以威老師在生活中發掘數學，連結生活，發現其實生活處處都是數學，讓我們系統思考、解決問題，再引入教具，光想就血脈賁張。眼前浮現一個個因為太害怕而當機的孩子，看著冰冷數字和題目就逃避的臉孔。喔！迫不及待想介紹他們這套書！

專對中高年級設計，專對孩子最困難的部分，包括國小數學的大數字進位、時間、單位、小數、比與比例、平面、面積和圓、對稱、立體與展開，不但補足了小學數學課程科普書的缺乏，更可貴的是不迴避正面迎擊孩子最痛苦的高階單元。讓喜歡文學的孩子，在閱讀中，連結生活經驗，增加體驗和注意，發現數學處處都是，最後，不害怕、來思考。

常接到許多家長來信詢問，怎麼在學校之餘有系統幫助孩子發展數學運思，以往，我很難有一個具體的答案。現在，一起閱讀這套書、思考這套書、操作這套書，是我現在最好的答案。

從 STEAM 通向「數感」大門！

臺南師範大學附設小學教師／溫美玉

閱讀《數感小學冒險系列》就像進入「旋轉門」，你能想像門一打開，數學會帶你到哪些多變的領域嗎？

數學形象大翻身

相信大部分孩子對數學的印象，都跟這套書的主角小哲剛開始一樣吧？認為數學既困難又無趣，但我相信當讀者閱讀本書，跟著小哲進入「不可思『億』巧克力工廠」、加入「宇宙無敵數學社」後，會慢慢對數學改觀。為什麼呢？因為這本書蘊含「數感」這份寶藏！「數感」讓數學擺脫單純數字間的演練、習題練習，它彷彿翻身被賦予了生命，能在生活、藝術、科學、歷史中處處體會！

未來教育5大元素，「數感」一把抓

以下列舉《數感小學冒險系列》的五大特色：

①「校園故事」串起3人冒險

有故事情節、個性分明的角色，讓故事貼近孩子的生活。

②「實物案例」數學也能在日常生活中刷存在感

許多生活中理所當然的日常用品，都藏有數學的原則。像是鞋子尺寸（單位）、腳踏車前後齒輪轉動（比與比例）等，從中我們會發現人生道路上，數學是你隨時可能撞見的好朋友。

③「創意謎題」點燃孩子求知心

故事中的神祕角色鳳凰露露老師設計了許多任務情境，當中巧妙融入數學概念的精神。藉由解謎過程，能激發孩子對數學概念的思考。

④「數感百科」起源/原理/應用一把罩

從歷史、藝術、工程、科學、數學原理等層面總結概念，推翻數學只是「寫寫算算」的刻板印象。

⑤「數感遊戲」動手玩數學

最後，每單元都附有讓孩子實際操作的遊戲，讓數學理解不再限於寫練習題！

STEAM的最佳代言人！

STEAM是目前國外最夯的教育趨勢，分別含括以下層面：
科學（Science）、科技（Technology）、工程（Engineering）、藝術（Art）以及數學（Mathematics）。但學校的數學課本礙於篇幅，無法將每個數學概念的起源、應用都清楚羅列，使孩子在暖身不足的情況下就得馬上跳入火坑解題，也難怪他們對數學的印象只有滿山滿谷的數字符號及習題。

若要透澈一個概念的發展歷程、概念演進、生活案例，必須查很多

資料、耗很多時間，幸虧《數感小學冒險系列》這本「數學救星」出現，把STEAM五層面都萃取出來，絕對適合老師/家長帶領高年級孩子共讀（中、低年級有些概念太難，師長可以介入引導）。以下舉一些書中的例子：

① **科學** Science
「時間」單元的地球自轉、公轉概念。

② **科技** Technology
科技精神涵蓋書中，可以帶著孩子上網連結。

③ **工程** Engineering
「比與比例」單元的腳踏車齒輪原理。

④ **藝術** Art
「比與比例」單元的伊斯蘭窗花、黃金螺旋。

⑤ **數學** Mathematics
為本書的主體重點，包含故事中的謎題任務及各單元末的「數感百科」。

你發現了什麼？畢竟是實體書，因此書中較少提到「科技」層面，我認為這時老師/家長可以進行的協助是：

指導他們以「Google搜尋 / Google地圖」自主活用科技資源，查詢更多補充資料，比如說在「單位」單元，可以進行特定類型物件的重量/長度比較（查詢「大型動物的體重」，並用同一單位比較、排行）；長度/面積單位也可以活用Google地圖，感受熟悉地點間的距離關係。如此一來，讓數學不再單單只是數學，還能從中跨越科目進入自然、社會、資訊場域，這套書對於STEAM或素養教學入門，必定是妙用無窮的工具書。

增加「數學感覺」也是我平常上數學課時的重點,除了照著課本題目教以外,我也會時時在進入課程前期、中期進行提問(例如:「為什麼人類需要小數?它跟整數有什麼不同?可以解決生活中的什麼事情?」。在本書的應用上,可以結合這樣的提問,讓孩子先自己預測,再從書中找答案,最後向師長說明或記錄的評量方式,他們便能印象更鮮明。總而言之,我認為比起計算能力的培養,「數感」才是化解數學噩夢的治本法門,有了正向的「數學感覺」,才有可能點亮孩子對數學(甚至是自然、社會、資訊等)的喜愛,快用《數感小學冒險系列》消弭孩子對數學科的恐懼吧!

數感小學冒險系列

數感遊戲配件1

量角器

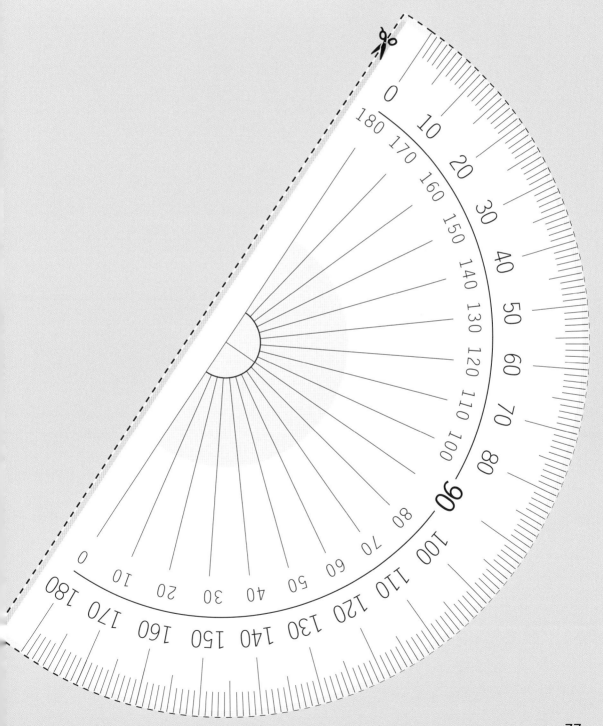

數感小學冒險系列

數感遊戲配件2

萬花筒紙模

軟鏡子黏貼處

軟鏡子黏貼處

軟鏡子黏貼處

●● 知識讀本館

作者	王文華、賴以威
繪者	黃哲宏、楊容
照片提供	Shutterstock、維基百科

責任編輯	呂育修
特約編輯	高凌華
美術設計	洋蔥設計
行銷企劃	陳詩茵

發行人	殷允芃
創辦人/執行長	何琦瑜
副總經理	林彥傑
總監	林欣靜
版權專員	何晨瑋、黃微真

出版者	親子天下股份有限公司
地址	台北市 104 建國北路一段 96 號4樓
電話	(02) 2509-2800
傳真	(02) 2509-2462
網址	www.parenting.com.tw
讀者服務專線	(02) 2662-0332 週一～週五：09:00 ～ 17:30
讀者服務傳真	(02) 2662-6048
客服信箱	bill@cw.com.tw
法律顧問	台英國際商務法律事務所‧羅明通律師
製版印刷	中原造像股份有限公司
總經銷	大和圖書有限公司 (02) 8990-2588

出版日期	2021 年 8 月第二版第一次印行
定價	300 元
書號	BKKKC180P
ISBN	978-626-305-039-6（平裝）

訂購服務

親子天下 Shopping	shopping.parenting.com.tw
海外‧大量訂購	parenting@service.cw.com.tw
書香花園	台北市建國北路二段 6 巷 11 號 (02) 2506-1635
劃撥帳號	50331356 親子天下股份有限公司

國家圖書館出版品預行編目 (CIP) 資料

與眾不同鏡子星 / 王文華，賴以威作；黃哲宏，楊容
繪 . -- 第二版 . -- 臺北市：親子天下股份有限公司，
2021.08
　面；　公分 . -- (數感小學冒險系列；9)

ISBN 978-626-305-039-6(平裝)

1. 數學教育 2. 小學教學

523.32　　　　　　　　　　　　　　110010184

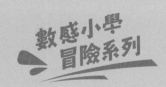

數感小學
冒險系列

與眾不同
9 鏡子星